Classiques & Contemporains

Initiation à la poésie

Poèmes du Moyen Âge à nos jours

Choix des poèmes, présentation, notes,
questions et après-texte établis par

JOSIANE GRINFAS-TULINIERI
professeur de Lettres

MAGNARD

Sommaire

Présentation
La voix du poète 5

Moyen Âge-XVIe siècle – Si loin, si proches
1. « La mort de Roland » 8
2. Marie de France, « Le chèvrefeuille » 9
3. Rutebeuf, « La complainte Rutebeuf » 11
4. Clément Marot, « D'Anne qui lui jeta la neige » 12
5. Pierre de Ronsard, « Sur la mort de Marie » 13

XVIIe siècle-XVIIIe siècle – Fables et chansons populaires
6. Jean de La Fontaine, « Le Loup et le Chien » 16
7. Jean de La Fontaine, « Le Loup et la Cigogne » 19
8. Jean de La Fontaine,
« Le Loup, la Chèvre et le Chevreau » 20
9. « Aux marches du palais » 23
10. « Auprès de ma blonde » 24
11. « À la claire fontaine » 26

XIXe siècle – Portraits de poètes
12. Gérard de Nerval, « El Desdichado » 28
13. Victor Hugo, « Le poète s'en va… » 30

Sommaire

14. Charles Baudelaire, « L'étranger » 32
15. Arthur Rimbaud, « Ma bohème » 33
16. Paul Verlaine, « Gaspard Hauser chante : » 34

XXe SIÈCLE – GRANDIR AVEC LA POÉSIE

Enfances

17. Paul Éluard, « Je mènerai mon enfant » 36
18. Jacques Charpentreau, « Les beaux métiers » 37
19. Jacques Prévert, « Page d'écriture » 38
20. Jean-Luc Moreau, « Chanson de l'ogre » 41

Frères animaux

21. Paul Fort, « Complainte du petit cheval blanc » 43
22. Guillaume Apollinaire, Raoul Dufy, « Le chat » 44
23. Jacques Prévert, « Le chat et l'oiseau » 46
24. René Char, « Le martinet » 48

Le monde frappe à la porte

25. Paul Fort, « La mer » 49
26. Pierre Reverdy, « En face » 50
27. Jules Supervielle, « Docilité » 51
28. Guillevic, « Recette » 53
29. Claude Roy, « L'enfant qui battait la campagne » 54

À la rencontre de l'autre

30. Robert Desnos, « C'était un bon copain » 55
31. Jacques Prévert, « Dans ma maison » 57
32. Marcel Béalu, « Poème à dire » 60
33. Maurice Carême, « Bonté » 61
34. Léopold Sédar Senghor, « Poème à mon frère blanc » .. 62

Jouer avec les mots

35. Max Jacob, Yves Pinguilly,
« Pour les enfants et pour les raffinés » 63
36. Boby Lapointe, « L'hélicon » 66
37. Guillevic, « Image » 69
38. Jacques Roubaud, « Le crocodile » 70
39. Pierre Coran, « Le chameau » 71

Après-texte

POUR COMPRENDRE
Étapes 1 à 7 (questions) 73

GROUPEMENTS DE TEXTES
Les fables antiques 86
Haïkus : le dit de l'homme et de la nature 88

INFORMATION / DOCUMENTATION
Bibliographie, Internet 92

LA VOIX DU POÈTE

Qu'est-ce qu'une « initiation » ? C'est un enseignement qui permet à l'homme d'accéder à des connaissances, à des réalités jusque-là mystérieuses pour lui : le langage de la nature, par exemple. Le premier des poètes, Orphée, savait charmer les animaux sauvages avec sa lyre et son chant a même convaincu les divinités des Enfers de lui rendre celle qu'il aimait. Quel était ce don ? Les Anciens racontaient qu'il « entendait » l'harmonie de la nature, qu'il était remonté des Enfers porteur de secrets et de connaissances refusés aux autres mortels et qu'il désirait ouvrir pour eux les portes du monde des ombres. Il y a donc un lien entre la poésie et l'initiation.

La poésie semble parfois une terre un peu étrangère et les poètes des êtres d'une autre planète : ils paraissent avoir une façon différente de voir et d'entendre le monde ; leurs images nous étonnent. Pourtant nous ne sommes pas si différents d'eux. Il suffit d'écouter ce qu'ils nous disent et de les suivre. Le ciel, la mer, les nuages, le bruit des arbres ou les murs de la ville nous entourent ; parfois, nous ne faisons pas attention à eux ; parfois, ils attirent notre regard et nous fascinent, comme si nous les voyions pour la première fois. Nos yeux les voient autrement ; alors, nous sommes un peu poètes. Mais, à la différence des poètes, nous n'avons pas toujours le besoin de « dire » cette expérience, de la communiquer ; et puis, souvent, il nous manque les mots pour l'exprimer.

Les poètes ont ce pouvoir de changer leur regard sur le monde, tout le temps ou le temps d'un poème. Ils savent métamorphoser les choses avec leurs mots. Certains ont un don pour cela, d'autres ont appris à le faire. Pour Victor Hugo, par exemple, le poète est né « voyant » ; pour Arthur Rimbaud ou Robert Desnos, devenir « voyant » est un exercice, même s'ils ont des prédispositions à transfigurer le monde ; Prévert et Guillevic, eux, proposent des « recettes ».

S'initier à la poésie, c'est repérer et saisir la permanence de ce regard, de ce chant : la complainte de Rutebeuf ou celle de Verlaine, l'émerveillement de Baudelaire face aux nuages ou celui de Paul Fort devant la mer. C'est redécouvrir des auteurs rencontrés à l'école primaire et dont on a récité les poèmes, les comptines, les fables : Jean de La Fontaine, Jacques Prévert, Maurice Carême, Max Jacob ou Boby Lapointe. Et c'est en découvrir d'autres, jugés peut-être moins accessibles, mais qui, par la compréhension du langage utilisé, le deviendront.

Enfin, à tout âge, les poètes, prêtant volontiers leur humour, leurs rêves et leurs mots d'amour, sont des « guides » irremplaçables sur le chemin de la vie.

Moyen Âge – XVIe siècle

Si loin, si proches

ANONYME (XIe siècle)

1. « La mort de Roland », *La Chanson de Roland* (1070), extrait

Cette chanson de geste raconte les exploits de Roland, neveu de Charlemagne, pendant la guerre que celui-ci mène en Espagne contre les Sarrasins. Blessé, il rassemble les corps de ses compagnons et défend son épée, Durandal. Mais il sent qu'il meurt.

Roland sent que la mort le prend tout : de sa tête elle descend vers son cœur. Jusque sous un pin il va courant ; il s'est couché sur l'herbe verte, face contre terre. Sous lui il met son épée et l'olifant[1]. Il a tourné sa tête du côté de la gent païenne[2] :
5 il a fait ainsi, voulant que Charles dise, et tous les siens, qu'il est mort en vainqueur, le gentil comte. À faibles coups et souvent, il bat sa coulpe[3]. Pour ses péchés il tend vers Dieu son gant.

Transposition en français moderne par Joseph Bédier, 1922.

1. Le cor.
2. Vers l'Espagne, vers le peuple qui n'est pas chrétien.
3. Se frappe la poitrine du poing, en signe de péché.

MARIE DE FRANCE (1154-1189)

2. « Le chèvrefeuille » (v. 1160), extrait

Inspirée par la « matière de Bretagne », cette poétesse relate les amours de Tristan et de la reine Yseult, si « parfaites, mais si douloureuses », sous la forme d'un lai, poème narratif, qui compare les amants au chèvrefeuille s'enroulant autour du coudrier, l'un ne pouvant vivre sans l'autre.

Tristan fut d'autant plus enchanté de ce qu'il venait d'apprendre que la reine devait infailliblement[1] traverser la forêt pour se rendre à Tintagel[2]. En effet, le roi et son cortège passèrent le lendemain. Yseult ne devait pas tarder à venir ;
5 mais comment lui apprendre que son amant est si près d'elle ? Tristan coupe une branche de coudrier[3], la taille carrément et la fend en deux, sur chaque côté de l'épaisseur il écrit son nom avec un couteau, puis met les deux branches sur le chemin, à peu de distance l'une de l'autre. Si la reine aperçoit le nom de
10 son ami, ainsi que cela lui était déjà arrivé, il n'y a pas de doute qu'elle ne s'arrête.

Elle devinerait sur-le-champ qu'il avait longtemps attendu pour la voir. D'ailleurs elle ne peut ignorer que Tristan ne peut vivre sans Yseult, comme Yseult ne peut vivre sans Tristan. Il
15 vous souvient, disait-il en lui-même, de l'arbre au pied duquel est planté du chèvrefeuille. Cet arbuste monte, s'attache et

1. De façon sûre.
2. La capitale du royaume de Marc, oncle de Tristan et époux d'Yseult.
3. Noisetier.

entoure les branches. Tous deux semblent devoir vivre longtemps, et rien ne paraît pouvoir les désunir. Si l'arbre vient à mourir, le chèvrefeuille éprouve sur-le-champ le même sort. 20 Ainsi, belle amie, est-il de nous. Je ne puis vivre sans vous comme vous sans moi, et votre absence me fera périr.

Transposition en français moderne par B. de Roquefort.

RUTEBEUF (1230-v. 1285)

3. « La complainte Rutebeuf » (v. 1260)

Ce pseudonyme est celui d'un trouvère jongleur, pauvre de condition et lettré, qui vit à l'époque de Saint Louis. Il dit simplement et de touchante façon les misères de l'existence humaine.

Que sont mes amis devenus
Que j'avais de si près tenus
Et tant aimés ?
Je crois qu'ils sont trop clairsemés[1],
Ils ne furent pas bien semés
Et sont faillis[2].
De tels amis m'ont mal bailli[3],
Car dès que Dieu m'eut assailli
De maint côté[4],
N'en vis un seul dans mon hôtel.
Je crois, le vent les a ôtés,
L'amour est morte,
Ce sont amis que vent emporte,
Et il ventait devant ma porte.

Adaptation Gustave Cohen, Librairie Delagrave, 1933.

1. Dispersés.
2. M'ont fait défaut.
3. M'ont mal traité.
4. De plusieurs côtés.

CLÉMENT MAROT (1496-1544)

4. « D'Anne qui lui jeta la neige », *Épigrammes*, I, 24 (v. 1535)

Remarqué par François Ier, le jeune poète devient valet de Marguerite d'Alençon, sœur du roi et future Marguerite de Navarre. Mais, accusé d'avoir mangé du lard en carême, Clément Marot connaît la prison. Libéré par grâce royale, il rejoint ses protecteurs et tombe amoureux d'Anne d'Alençon pour laquelle il écrit de doux poèmes.

Anne, par jeu, me jeta de la neige,
Qui je cuidais[1] froide certainement ;
Mais c'était feu ; l'expérience en ai-je,
Car embrasé je fus soudainement.
5 Puisque le feu loge secrètement,
Dedans la neige, où trouverai-je place
Pour n'ardre point[2] ? Anne, ta seule grâce
Éteindre peut ce feu que je sens bien,
Non point par eau, par neige, ni par glace,
10 Mais par sentir un feu pareil au mien.

1. Croyais.
2. Pour ne pas brûler.

PIERRE DE RONSARD (1524-1585)

5. « Sur la mort de Marie », *Second livre des amours* (1578)

En 1574, prêtant sa voix à la douleur du roi Henri III qui vient de perdre Marie de Clèves, son aimée, Ronsard se souvient d'un de ses amours, Marie Dupin, disparue depuis peu. Il lui offre ce poème, délicate comparaison de la jeune femme avec la jeune et fragile rose.

IV

Comme on voit sur la branche au mois de mai la rose,
En sa belle jeunesse, en sa première fleur,
Rendre le ciel jaloux de sa vive couleur,
Quand l'Aube de ses pleurs au point du jour l'arrose ;

La grâce dans sa feuille, et l'amour se repose,
Embaumant les jardins et les arbres d'odeur ;
Mais battue ou de pluie, ou d'excessive ardeur,
Languissante[1] elle meurt feuille à feuille déclose[2].

Ainsi en ta première et jeune nouveauté,
Quand la terre et le ciel honoraient ta beauté,
La Parque[3] t'a tuée, et cendre tu reposes.

Pour obsèques reçois mes larmes et mes pleurs,
Ce vase plein de lait, ce panier plein de fleurs,
Afin que vif, et mort, ton corps ne soit que roses.

---

1. Sans forces.
2. Ouverte.
3. Divinité antique qui coupait le fil de la vie ; donc la mort.

XVIIe siècle – XVIIIe siècle
Fables
et chansons populaires

JEAN DE LA FONTAINE (1621-1695)

Fables (1668)

Jean de La Fontaine est maître des eaux et forêts, comme son père. Il est un familier de la cour et fréquente les salons. Pour plaire à ce public, il écrit des contes, des nouvelles, puis des fables. Il relit les modèles antiques et les récrit brillamment, selon l'esprit de son temps.

6. « Le Loup et le Chien », Livre I, fable V

Un Loup n'avait que les os et la peau,
Tant les Chiens faisaient bonne garde.
Ce Loup rencontre un Dogue aussi puissant que beau,
Gras, poli, qui s'était fourvoyé[1] par mégarde.
5 L'attaquer, le mettre en quartiers[2],
Sire Loup l'eût fait volontiers ;
Mais il fallait livrer bataille,
Et le Mâtin[3] était de taille
À se défendre hardiment[4].
10 Le Loup donc, l'aborde humblement,
Entre en propos[5], et lui fait compliment
Sur son embonpoint[6], qu'il admire.
« Il ne tiendra qu'à vous, beau Sire,

1. Trompé de chemin.
2. Le mettre en pièces.
3. Gros chien de garde.
4. Avec courage.
5. Entame la conversation.
6. Fait d'être enveloppé, gros.

D'être aussi gras que moi, lui repartit[1] le Chien.
Quittez les bois, vous ferez bien :
Vos pareils y sont misérables,
Cancres, hères, et pauvres diables[2],
Dont la condition est de mourir de faim.
Car quoi ? rien d'assuré ; point de franche lippée[3] ;
Tout à la pointe de l'épée.
Suivez-moi, vous aurez un bien meilleur destin. »
Le Loup reprit : « Que me faudra-t-il faire ?
– Presque rien, dit le Chien, donner la chasse aux gens
Portant bâtons, et mendiants ;
Flatter ceux du logis, à son Maître complaire[4] :
Moyennant quoi votre salaire
Sera force reliefs[5] de toutes les façons,
Os de poulets, os de pigeons,
Sans parler de mainte caresse. »
Le Loup déjà se forge une félicité[6]
Qui le fait pleurer de tendresse.
Chemin faisant, il vit le col[7] du Chien pelé[8].
« Qu'est-ce là ? lui dit-il. – Rien. – Quoi ? rien ? – Peu de chose.
– Mais encor ? – Le collier dont je suis attaché
De ce que vous voyez est peut-être la cause.
– Attaché ? dit le Loup : vous ne courez donc pas

1. Répond.
2. Pauvres, malheureux.
3. Bon repas qui ne coûte rien.
4. Faire plaisir.
5. Restes de repas.
6. S'imagine un bonheur.
7. Cou.
8. Sans poils.

Où vous voulez ? – Pas toujours ; mais qu'importe ?
– Il importe si bien, que de tous vos repas
Je ne veux en aucune sorte,
40 Et ne voudrais pas même à ce prix un trésor. »
Cela dit, maître Loup s'enfuit, et court encor.

7. « Le Loup et la Cigogne », Livre III, fable IX

Les Loups mangent gloutonnement.
Un Loup donc, étant de frairie[1],
Se pressa, dit-on, tellement
Qu'il en pensa perdre la vie.
Un os lui demeura bien avant au gosier.
De bonheur pour ce Loup, qui ne pouvait crier,
Près de là passe une Cigogne.
Il lui fait signe, elle accourt.
Voilà l'Opératrice aussitôt en besogne.
Elle retira l'os ; puis pour un si bon tour
Elle demanda son salaire.
« Votre salaire ? dit le Loup,
Vous riez, ma bonne commère.
Quoi ! ce n'est pas encor beaucoup
D'avoir de mon gosier retiré votre cou ?
Allez, vous êtes une ingrate[2] ;
Ne tombez jamais sous ma patte. »

1. Se rendant à une fête.
2. Personne qui n'a pas de reconnaissance.

8. « Le Loup, la Chèvre et le Chevreau », Livre IV, fable XV

La Bique, allant remplir sa traînante mamelle
Et paître[1] l'herbe nouvelle,
Ferma sa porte au loquet,
Non sans dire à son Biquet :
5 « Gardez-vous sur votre vie
D'ouvrir que l'on ne vous die,
Pour enseigne et mot du guet[2],
Foin du Loup et de sa race[3] ! »
Comme elle disait ces mots,
10 Le Loup de fortune passe ;
Il les recueille à propos,
Et les garde en sa mémoire.
La Bique, comme on peut croire,
N'avait pas vu le glouton.
15 Dès qu'il la voit partie, il contrefait son ton[4],
Et d'une voix papelarde[5]
Il demande qu'on ouvre, en disant « Foin du Loup ! »,
Et croyant entrer tout d'un coup.
Le Biquet soupçonneux par la fente regarde.
20 « Montrez-moi patte blanche, ou je n'ouvrirai point »,
S'écria-t-il d'abord. (Patte blanche est un point

1. Brouter.
2. Pour mot de passe et de reconnaissance.
3. À bas le loup et tous ceux de son espèce.
4. Transforme sa voix.
5. Hypocrite.

Chez les Loups, comme on sait, rarement en usage.)
Celui-ci, fort surpris d'entendre ce langage,
Comme il était venu s'en retourna chez soi.
5 Où serait le Biquet s'il eût ajouté foi[1]
Au mot du guet, que de fortune
Notre Loup avait entendu ?
Deux sûretés valent mieux qu'une,
Et le trop en cela ne fut jamais perdu.

1. S'il avait cru.

CHANSONS POPULAIRES (XVIIIe siècle)

Ces « poèmes harmoniques » étaient le moyen traditionnel de diffuser et de conserver oralement l'histoire d'une région, d'une famille, d'un héros populaire, d'un roi ou d'une reine. Ils étaient connus de tous, parce que chantés et vendus par les marchands de chansons, dans les villes et les campagnes.
Les auteurs sont souvent anonymes et ont créé de multiples versions. Rangés dans la catégorie des chansons d'enfance, leurs thèmes sont pourtant ceux des joies et misères vécues en ce XVIIIe siècle : l'amour, parfois contrarié par la guerre, le rapport aux grands de ce monde.

9. « Aux marches du palais »

Aux marches du palais *(bis)*
Y'a une tant belle fille, lon la
Y'a une tant belle fille.

Elle a tant d'amoureux *(bis)*
5 Qu'elle ne sait lequel prendre, lon la
Qu'elle ne sait lequel prendre.

C'est un p'tit cordonnier *(bis)*
Qui a eu la préférence, lon la
Qui a eu la préférence.

10 Et c'est en la chaussant *(bis)*
Qu'il en fit la demande, lon la
Qu'il en fit la demande.

La belle si tu voulais *(bis)*
Nous dormirions ensemble, lon la
Nous dormirions ensemble.

Dans un grand lit carré *(bis)*
Couvert de toile blanche, lon la
Couvert de toile blanche.

Aux quatre coins du lit *(bis)*
Un bouquet de pervenches, lon la
Un bouquet de pervenches

Dans le mitan[1] du lit *(bis)*
La rivière est profonde, lon la
La rivière est profonde.

Tous les chevaux du roi *(bis)*
Pourraient y boire ensemble, lon la
Pourraient y boire ensemble.

Et nous y dormirions *(bis)*
Jusqu'à la fin du monde, lon la
Jusqu'à la fin du monde.

---

1. Milieu.

10. « Auprès de ma blonde », André Joubert du Collet (titre original : « Le prisonnier de Hollande »)

Dans les jardins de mon père,
Les lilas sont fleuris ; *(bis)*
Tous les oiseaux du monde
Viennent y faire leurs nids.

Refrain
5 Auprès de ma blonde,
Qu'il fait bon, fait bon,
fait bon,
Auprès de ma blonde,
Qu'il fait bon dormir.

Tous les oiseaux du monde
10 Viennent y faire leurs nids, *(bis)*
La caille, la tourterelle
Et la jolie perdrix.

La caille, la tourterelle
Et la jolie perdrix *(bis)*
15 Et ma jolie colombe,
Qui chante jour et nuit.

Et ma jolie colombe,
Qui chante jour et nuit *(bis)*
Ell' chante pour les filles
20 Qui n'ont pas de mari.

Ell' chante pour les filles
Qui n'ont pas de mari. *(bis)*
Pour moi ne chante guère,
Car j'en ai un joli.

25 Pour moi ne chante guère,
Car j'en ai un joli, *(bis)*
« Mais dites-moi donc belle
Où est votre mari ? »

« Mais dites-moi donc belle,
30 Où est votre mari ? » *(bis)*
Il est dans la Hollande,
Les Hollandais l'ont pris !

Il est dans la Hollande,
Les Hollandais l'ont pris ! *(bis)*
Que donneriez-vous, belle
À qui l'ira quérir[1] ?

Que donneriez-vous, belle,
À qui l'ira quérir ? *(bis)*
Je donnerais Touraine[2],
Paris et Saint-Denis[3].

Je donnerais Touraine,
Paris et Saint-Denis, *(bis)*
Les tours de Notre-Dame,
Le clocher de mon pays.

45 Les tours de Notre-Dame
Le clocher de mon pays, *(bis)*
Et ma jolie colombe,
Qui chante jour et nuit.

---

1. À qui ira le chercher.
2. Région des Pays de la Loire.
3. Ville au nord de Paris dont la basilique compte de très nombreux tombeaux royaux.

11. « À la claire fontaine »

À la claire fontaine,
M'en allant promener,
J'ai trouvé l'eau si belle
Que je m'y suis baignée.

Refrain
5 Il y a longtemps que je t'aime
Jamais je ne t'oublierai

Sous les feuilles d'un chêne,
Je me suis fait sécher ;
Sur la plus haute branche
10 Un rossignol chantait.

Chante rossignol, chante,
Toi qui as le cœur gai,
Tu as le cœur à rire…
Moi je l'ai à pleurer !

15 J'ai perdu mon ami,
Sans l'avoir mérité,
Pour un bouquet de roses
Que je lui refusai.

Je voudrais que la rose
20 Fût encore au rosier,
Et que mon doux ami
Fût encore à m'aimer.

XIXe siècle

Portraits de poètes

GÉRARD DE NERVAL (1808-1855)

12. « El Desdichado », version (définitive) des *Filles du feu* (1854)

C'est le poète qui ouvre les portes entre la vie réelle et le songe, au prix même de sa lucidité et de sa vie. Dans « El Desdichado » (« l'inconsolé »), il tente de dessiner les contours de son âme.

Je suis le ténébreux[1] – le veuf, – l'inconsolé
Le Prince d'Aquitaine à la tour abolie[2] ;
Ma seule étoile est morte, – et mon luth[3] constellé[4]
Porte le Soleil Noir de la Mélancolie[5].

5 Dans la nuit du tombeau, toi qui m'as consolé,
Rends-moi le Pausilippe[6] et la mer d'Italie,
La fleur qui plaisait tant à mon cœur désolé,
Et la treille où le pampre[7] à la rose s'allie.

Suis-je Amour[8] ou Phébus[9] ? Lusignan[10] ou Biron[11] ?
10 Mon front est rouge encor du baiser de la reine ;
J'ai rêvé dans la grotte où nage la sirène…

---

1. Sombre, mélancolique.
2. Détruite.
3. Au sens propre, sorte de guitare ; au sens figuré, inspiration poétique.
4. Semé d'étoiles.
5. Humeur sombre, triste.
6. Colline de la baie de Naples.
7. Les volutes de la vigne.
8. Le fils de Vénus.
9. Le dieu du Soleil.
10. Époux inquiet de la fée Mélusine.
11. Amant heureux d'une pièce de Shakespeare.

Et j'ai deux fois vainqueur traversé l'Achéron[1] :
Modulant tout à tout sur la lyre d'Orphée[2]
Les soupirs de la sainte et les cris de la fée[3].

1. Le fleuve que l'on traverse pour aller aux Enfers.
2. Le poète qui alla chercher sa bien-aimée aux Enfers.
3. Femmes aimées de Nerval.

VICTOR HUGO (1802-1885)

13. « Le poète s'en va… », *Les Contemplations*, livre premier, II (1856)

Son œuvre représente tous les genres (théâtre, roman, critique, discours) et son travail poétique est très riche. Ce poème est extrait du recueil intitulé Les Contemplations *qui a pour objet la rencontre entre le souffle du monde et celui du poète.*

Le poète s'en va dans les champs ; il admire,
Il adore ; il écoute en lui-même une lyre[1] ;
Et, le voyant venir, les fleurs, toutes les fleurs,
Celles qui des rubis font pâlir les couleurs,
5 Celles qui des paons même éclipseraient les queues,
Les petites fleurs d'or, les petites fleurs bleues,
Prennent, pour l'accueillir agitant leurs bouquets,
De petits airs penchés ou de grands airs coquets,
Et, familièrement, car cela sied aux belles[2] :
10 « – Tiens ! c'est notre amoureux qui passe ! » disent-elles.
Et, pleins de jour et d'ombre et de confuses voix,
Les grands arbres profonds qui vivent dans les bois,
Tous ces vieillards, les ifs[3], les tilleuls, les érables,
Les saules tout ridés, les chênes vénérables,
15 L'orme au branchage noir, de mousse appesanti[4],

1. Instrument à cordes proche de la harpe.
2. Cela leur va bien.
3. Arbres au feuillage vert sombre et aux baies rouges.
4. Alourdi.

Comme les ulémas[1] quand paraît le muphti[2],
Lui font de grands saluts et courbent jusqu'à terre
Leurs têtes de feuillée et leurs barbes de lierre,
Contemplent de son front la sereine lueur,
Et murmurent tout bas : C'est lui ! c'est le rêveur !

1. Docteurs de la loi musulmane.
2. Le grand jurisconsulte, supérieur des ulémas.

CHARLES BAUDELAIRE (1821-1867)

14. « L'étranger », *Petits poèmes en prose – Le Spleen de Paris* (1869)

Dans son œuvre, Charles Baudelaire montre un poète qui aspire à l'au-delà de la beauté. Il cherche à l'atteindre en étant en correspondance avec tout ce qui élève l'âme et le fait voyager vers l'« ailleurs ».

– Qui aimes-tu le mieux, homme énigmatique, dis ? ton père, ta mère, ta sœur ou ton frère ?
– Je n'ai ni père, ni mère, ni sœur, ni frère.
– Tes amis ?
5 – Vous vous servez là d'une parole dont le sens m'est resté jusqu'à ce jour inconnu.
– Ta patrie ?
– J'ignore sous quelle latitude elle est située.
– La beauté ?
10 – Je l'aimerais volontiers, déesse et immortelle.
– L'or ?
– Je le hais comme vous haïssez Dieu.
– Eh ! qu'aimes-tu donc, extraordinaire étranger ?
– J'aime les nuages… les nuages qui passent… là-bas… les
15 merveilleux nuages !

ARTHUR RIMBAUD (1845-1891)

15. « Ma bohème », *Poésies complètes* (poème écrit en 1870, édition posthume en 1895)

Élevé dans la sévérité de Charleville, Rimbaud, encore très jeune homme, choisit de fuguer pour être libre. Dans ce poème, il évoque sa situation de poète vagabond, mais rendu heureux par la poésie et les étoiles.

Je m'en allais, les poings dans mes poches crevées ;
Mon paletot[1] aussi devenait idéal ;
J'allais sous le ciel, Muse[2] ! et j'étais ton féal[3] ;
Oh ! là ! là ! que d'amours splendides j'ai rêvées !

Mon unique culotte avait un large trou.
– Petit-Poucet rêveur, j'égrenais dans ma course
Des rimes. Mon auberge était à la Grande-Ourse[4].
– Mes étoiles au ciel avaient un doux frou-frou[5]

Et je les écoutais, assis au bord des routes,
Ces bons soirs de septembre où je sentais des gouttes
De rosée à mon front, comme un vin de vigueur ;

Où, rimant au milieu des ombres fantastiques,
Comme des lyres[6], je tirais les élastiques
De mes souliers blessés, un pied près de mon cœur !

1. Ma veste.
2. Divinité des arts et, ici, de la poésie.
3. Ami fidèle.
4. Une constellation.
5. Onomatopée qui imite le bruit des jupons.
6. Instruments à cordes proches de la harpe.

PAUL VERLAINE (1844-1896)

16. « Gaspard Hauser chante : », *Sagesse* (1869)

Compagnon d'errance de Rimbaud, tour à tour épris de liberté et de repentance, Verlaine évoque dans ce poème la figure mystérieuse d'un jeune homme retrouvé titubant dans Nuremberg. Il lui prête sa voix pour raconter son histoire et celle d'un être qui interroge sa place dans le monde.

Je suis venu, calme orphelin,
Riche de mes seuls yeux tranquilles,
Vers les hommes des grandes villes :
Ils ne m'ont pas trouvé malin.

5 À vingt ans un trouble nouveau
Sous le nom d'amoureuses flammes
M'a fait trouver belles les femmes :
Elles ne m'ont pas trouvé beau.

Bien que sans patrie et sans roi
10 Et très brave ne l'étant guère,
J'ai voulu mourir à la guerre :
La mort n'a pas voulu de moi.

Suis-je né trop tôt ou trop tard ?
Qu'est-ce que je fais en ce monde ?
15 Ô vous tous, ma peine est profonde :
Priez pour le pauvre Gaspard !

XXe siècle
Grandir avec la poésie

Enfances

PAUL ÉLUARD (1895-1952)

17. « Je mènerai mon enfant », recueilli dans « Le devoir », in *Poésies 1913-1926*

Parmi les poètes du groupe surréaliste, Éluard est celui qui place l'espoir et le don de soi au cœur de sa création. Ce poème en témoigne.

Je mènerai mon enfant
Partout où je n'ai pas été
Avec lui sur du marbre blanc,
Dans les palais d'Orient
5 Je rirai aux gens de couleur.
Et aussi sous le soleil clair
Qui éclaire toute la terre
Pour ceux qui n'ont jamais pu
Faire tout ce que j'ai fait,
10 Pour ceux qui n'ont pas vu
Tout ce que j'ai vu.

JACQUES CHARPENTREAU (né en 1928)

18. « Les beaux métiers », ***Poèmes pour peigner la girafe*** **(1996)**

La jeunesse est son premier destinataire car il garde au cœur les poèmes qui l'ont accompagné sur le chemin de la vie.

Certains veulent être marins,
D'autres ramasseurs de bruyère,
Explorateurs de souterrains,
Perceurs de trous dans le gruyère,

Cosmonautes, ou, pourquoi pas,
Goûteurs de tartes à la crème,
De chocolat et de babas :
Les beaux métiers sont ceux qu'on aime.

L'un veut nourrir un petit faon,
Apprendre aux singes l'orthographe,
Un autre bercer l'éléphant…
Moi, je veux peigner la girafe !

JACQUES PRÉVERT (1900-1977)

19. « Page d'écriture », *Paroles* (1946)

Quand Jacques Prévert parle de l'enfance, il rappelle que cet âge est parfois douloureux, solitaire et révolté. Mais heureusement, il y a le rêve...

Deux et deux quatre
quatre et quatre huit
huit et huit font seize
Répétez ! dit le maître
5 Deux et deux quatre
quatre et quatre huit
huit et huit font seize
Mais voilà l'oiseau lyre[1]
qui passe dans le ciel
10 l'enfant le voit
l'enfant l'entend
l'enfant l'appelle
Sauve-moi
joue avec moi
15 oiseau !
Alors l'oiseau descend
et joue avec l'enfant
Deux et deux quatre...
Répétez ! dit le maître

1. Oiseau d'Australie dont les plumes de la queue dessinent une lyre, comme celle d'Orphée.

et l'enfant joue
l'oiseau joue avec lui…
Quatre et quatre huit
huit et huit font seize
et seize et seize qu'est-ce qu'ils font ?
Ils ne font rien seize et seize
et surtout pas trente-deux
de toute façon
et ils s'en vont.
Et l'enfant a caché l'oiseau
dans son pupitre[1]
et tous les enfants
entendent sa chanson
et tous les enfants
entendent la musique
et huit et huit à leur tour s'en vont
et quatre et quatre et deux et deux
à leur tour fichent le camp
et un et un ne font ni une ni deux
un à un s'en vont également.
Et l'oiseau lyre joue
et l'enfant chante
et le professeur crie :
Quand vous aurez fini de faire le pitre !
Mais tous les autres enfants

1. Bureau d'écolier avec un rabat.

45 écoutent la musique
et les murs de la classe
s'écroulent tranquillement.
Et les vitres redeviennent sable
l'encre redevient eau
50 les pupitres redeviennent arbres
la craie redevient falaise
le porte-plume redevient oiseau.

JEAN-LUC MOREAU (né en 1937)

20. « Chanson de l'ogre », ***Poèmes de la souris verte*** **(1992)**

Poète et universitaire, il a écrit de nombreux poèmes pour la jeunesse, dont celui-ci, plein d'humour.

Les p'tits garçons et les p'tites filles
Faudrait qu'ça pouss'comm'les myrtilles,
Faudrait qu'ça pouss'sur les buissons,
Les p'tites fill's et les p'tits garçons.

5 À l'automne on f'rait la cueillette ;
Plus besoin d'se casser la tête ;
Pas mêm'besoin d'êtr'jardinier :
Suffirait d'remplir son panier.

Les p'tits, les grands, les grand's, les p'tites,
10 J'vers'rais tout ça dans un'marmite ;
J'les mettrais tous, mêm'les moyens
C'que ça s'rait bien ! C'que ça s'rait bien !

Un peu d'vanille, un peu d'cannelle,
Un p'tit nuag'de citronnelle,
15 Du thym, d'la menth', du roudoudou[1]...
Vous laissez cuire à feu très doux.

L'hiver, paré comm'pour un siège[2],
J'verrais sans peur tomber la neige :

1. Une espèce de bonbon.
2. L'encerclement d'un lieu par une armée.

Mes bocaux s'raient là, bien rangés,
20 Bien rangés dans mon gard'-manger.

Mes p'tits copains, mes p'tites copines,
J'vous étal'rais sur mes tartines.
J'dirais : merci, merci, mon Dieu !
Les p'tits enfants, j'connais rien d'mieux.

Frères animaux

PAUL FORT (1872-1960)

21. « Complainte du petit cheval blanc » (1908)

Beaucoup de ses poèmes, regroupés sous le titre Ballades françaises, *sont très connus. Celui-ci a été mis en musique par Georges Brassens.*

Le petit cheval dans le mauvais temps, qu'il avait donc du courage !
C'était un petit cheval blanc, tous derrière et lui devant.

Il n'y avait jamais de beau temps dans ce pauvre paysage.
Il n'y avait jamais de printemps, ni derrière ni devant.

5 Mais toujours il était content, menant les gars du village,
À travers la pluie noire des champs, tous derrière et lui devant.

Sa voiture allait poursuivant sa belle petite queue sauvage.
C'est alors qu'il était content, eux derrière et lui devant.

Mais un jour, dans le mauvais temps, un jour qu'il était si sage,
10 Il est mort par un éclair blanc, tous derrière et lui devant.

Il est mort sans voir le beau temps, qu'il avait donc du courage !
Il est mort sans voir le printemps ni derrière ni devant.

GUILLAUME APOLLINAIRE (1880-1918), RAOUL DUFY (1877-1953)

22. « Le chat », *Le Bestiaire ou Cortège d'Orphée* (1911)

Ami des peintres de son époque, Apollinaire a créé ce Bestiaire *avec l'artiste Raoul Dufy qui en signe les illustrations, des « bois ».*

LE CHAT

Je souhaite dans ma maison :
Une femme ayant sa raison,
Un chat passant parmi les livres,
Des amis en toute saison
5 Sans lesquels je ne peux pas vivre.

Bois gravé de Raoul Dufy, © Leemage/ADAGP, Paris, 2014.

JACQUES PRÉVERT (1900-1977)

23. « Le chat et l'oiseau », *Histoires* (1946)

Dans ce poème, Jacques Prévert raconte la rencontre entre une petite fille et un chat – peut-être le poète – qui la console.

Un village écoute désolé
Le chant d'un oiseau blessé
C'est le seul oiseau du village
Et c'est le seul chat du village
5 Qui l'a à moitié dévoré
Et l'oiseau cesse de chanter
Le chat cesse de ronronner
Et de se lécher le museau
Et le village fait à l'oiseau
10 De merveilleuses funérailles
Et le chat qui est invité
Marche derrière le petit cercueil de paille
Où l'oiseau mort est allongé
Porté par une petite fille
15 Qui n'arrête pas de pleurer
Si j'avais su que cela te fasse tant de peine
Lui dit le chat
Je l'aurais mangé tout entier
Et puis je t'aurais raconté
20 Que je l'avais vu s'envoler
S'envoler juqu'au bout du monde
Là-bas où c'est tellement loin

Que jamais on en revient
Tu aurais eu moins de chagrin
5 Simplement de la tristesse et des regrets

Il ne faut jamais faire les choses à moitié.

RENÉ CHAR (1907-1988)

24. « Le martinet », *Fureur et mystère* (1948)

Dans la poésie de René Char soufflent souvent l'amour et la liberté, sans cesse mis en danger puis réaffirmés. Le vol du martinet en est une métaphore.

Martinet[1] aux ailes trop larges, qui vire et crie sa joie autour de la maison. Tel est le cœur.

Il dessèche le tonnerre. Il sème dans le ciel serein. S'il touche le sol, il se déchire.

5 Sa répartie est l'hirondelle. Il déteste la familière. Que vaut dentelle de la tour ?

Sa pause est au creux le plus sombre. Nul n'est plus à l'étroit que lui.

L'été de la longue clarté, il filera dans les ténèbres, par les 10 persiennes[2] de minuit.

Il n'est pas d'yeux pour le tenir. Il crie, c'est toute sa présence. Un mince fusil va l'abattre. Tel est le cœur.

1. Oiseau noir aux longues ailes qui est sans cesse en vol ; on entend son cri dès que le printemps revient.
2. Volets faits de lames de bois.

Le monde frappe à la porte

PAUL FORT (1872-1960)

25. « La mer », *Les Ballades françaises* (1896-1958)

La mer brille
comme une coquille ;
On a envie de la pêcher.
La mer est verte,
la mer est grise,
elle est d'azur,
elle est d'argent et de dentelle.

PIERRE REVERDY (1889-1960)

26. « En face », *Les Ardoises du toit* (1918)

Ami de Guillaume Apollinaire et des peintres qui, au début du XXe siècle, ont changé le regard sur la réalité (Picasso, Matisse, Braque), Reverdy transmet dans ses poèmes son émerveillement devant le monde.

Au bord du toit
Un nuage danse
Trois gouttes d'eau pendent à
la gouttière
5 Trois étoiles
Des diamants
Et vos yeux brillants qui regardent
Le soleil derrière la vitre
Midi

JULES SUPERVIELLE (1884-1960)

27. « Docilité », *La Fable du monde* (1938)

Ce poète a partagé son temps entre l'Uruguay et la France. Dans son recueil de poèmes La Fable du monde, *il donne la parole à une création qui s'interroge sur le sens de son existence.*

La forêt dit : « C'est toujours moi la sacrifiée,
On me harcèle[1], on me traverse, on me brise à coups de hache,
On me cherche noise[2], on me tourmente sans raison,
On me lance des oiseaux à la tête ou des fourmis dans les jambes,
Et l'on me grave des noms auxquels je ne puis m'attacher.
Ah ! On ne le sait que trop que je ne puis me défendre
Comme un cheval qu'on agace ou la vache mécontente.
Et pourtant je fais toujours ce qu'on m'avait dit de faire.
On m'ordonna : “Prenez racine.” Et je donnai de la racine
tant que je pus,
“Faites de l'ombre.” Et j'en fis autant qu'il était raisonnable,
“Cessez d'en donner l'hiver.” Je perdis mes feuilles
jusqu'à la dernière.
Mois par mois et jour par jour je sais bien ce que je dois faire,
Voilà longtemps qu'on n'a plus besoin de me commander.
Alors pourquoi ces bûcherons qui s'en viennent au pas cadencé[3] ?
Que l'on me dise ce qu'on attend de moi, et je le ferai,
Qu'on me réponde par un nuage ou quelque signe dans le ciel,

1. On s'en prend régulièrement à moi.
2. On me cherche des ennuis.
3. Rythmé, régulier.

Je ne suis pas une révoltée, je ne cherche querelle[1] à personne.
Mais il semble tout de même que l'on pourrait bien me répondre
Lorsque le vent qui se lève fait de moi une questionneuse. »

1. Dispute.

GUILLEVIC (1907-1977)

28. « Recette », *Avec* (1968)

Ce poète, né en Bretagne, écrit une poésie proche des choses et des gens, qui essaie de rendre ceux-ci plus heureux.

Prenez un toit de vieilles tuiles
Un peu avant midi.

Placez tout à côté
Un tilleul déjà grand
Remué par le vent,

Mettez au-dessus d'eux
Un ciel bleu, lavé
Par des nuages blancs.

Laissez-les faire.
Regardez-les.

CLAUDE ROY (1915-1997)

29. « L'enfant qui battait la campagne », ***Enfantasques*** **(1974)**

À la Libération, Claude Roy devient journaliste et voyage à travers le monde. Il a notamment écrit et illustré de nombreux livres pour la jeunesse dont Enfantasques.

Vous me copierez deux cents fois le verbe :
Je n'écoute pas. Je bats la campagne.

Je bats la campagne, tu bats la campagne,
Il bat la campagne à coups de bâton.

5 La campagne ? Pourquoi la battre ?
Elle ne m'a jamais rien fait.

C'est ma seule amie, la campagne.
Je baye aux corneilles[1], je cours la campagne.

Il ne faut jamais battre la campagne :
10 On pourrait casser un nid et ses œufs.

On pourrait briser un iris, une herbe,
On pourrait fêler[2] le cristal de l'eau.

Je n'écouterai pas la leçon.
Je ne battrai pas la campagne.

1. Rester bouche bée devant quelque chose qui n'a aucun intérêt.
2. Fendre.

À la rencontre de l'autre

ROBERT DESNOS (1900-1945)

30. « C'était un bon copain », *Corps et biens* (1930)

Ce poète qui savait rêver tout éveillé a connu un sort tragique au camp de concentration de Terezin, le jour de sa libération. Ce texte émouvant a été écrit pour un de ses « copains » qui venait de mourir.

Il avait le cœur sur la main
Et la cervelle dans la lune
C'était un bon copain
Il avait l'estomac dans les talons
5 Et les yeux dans nos yeux
C'était un triste copain
Il avait la tête à l'envers
Et le feu là où vous pensez
Mais non quoi il avait le feu au derrière
10 C'était un drôle de copain
Quand il prenait ses jambes à son cou
Il mettait son nez partout
C'était un charmant copain
Il avait une dent contre Étienne
15 À la tienne Étienne à la tienne mon vieux
C'était un amour de copain

Il n'avait pas sa langue dans la poche
Ni la main dans la poche du voisin
Il ne pleurait jamais dans mon gilet
20 C'était un copain,
C'était un bon copain.

JACQUES PRÉVERT (1872-1960)

31. « Dans ma maison », *Paroles* (1946)

Dans ma maison vous viendrez
D'ailleurs ce n'est pas ma maison
Je ne sais pas à qui elle est
Je suis entré comme ça un jour
Il n'y avait personne
Seulement des piments rouges accrochés au mur blanc
Je suis resté longtemps dans cette maison
Personne n'est venu
Mais tous les jours et tous les jours
Je vous ai attendue

Je ne faisais rien
C'est-à-dire rien de sérieux
Quelquefois le matin
Je poussais des cris d'animaux
Je gueulais comme un âne
De toutes mes forces
Et cela me faisait plaisir
Et puis je jouais avec mes pieds
C'est très intelligent les pieds
Ils vous emmènent très loin
Quand vous voulez aller très loin
Et puis quand vous ne voulez pas sortir
Ils restent là ils vous tiennent compagnie
Et quand il y a de la musique ils dansent

25 On ne peut pas danser sans eux
Faut être bête comme l'homme l'est si souvent
Pour dire des choses aussi bêtes
Que bête comme ses pieds gai comme un pinson
Le pinson n'est pas gai
30 Il est seulement gai quand il est gai
Et triste quand il est triste ou ni gai ni triste
Est-ce qu'on sait ce que c'est un pinson
D'ailleurs il ne s'appelle pas réellement comme ça
C'est l'homme qui a appelé cet oiseau comme ça
35 Pinson pinson pinson pinson

Comme c'est curieux les noms
Martin Hugo Victor de son prénom
Bonaparte Napoléon de son prénom
Pourquoi comme ça et pas comme ça
40 Un troupeau de bonapartes passe dans le désert
L'empereur s'appelle Dromadaire
Il a un cheval caisse et des tiroirs de course
Au loin galope un homme qui n'a que trois prénoms
Il s'appelle Tim-Tam-Tom et n'a pas de grand nom
45 Un peu plus loin encore il y a n'importe qui
Beaucoup plus loin encore il y a n'importe quoi
Et puis qu'est-ce que ça peut faire tout ça

Dans ma maison tu viendras
Je pense à autre chose mais je ne pense qu'à ça
50 Et quand tu seras entrée dans ma maison

Tu enlèveras tous tes vêtements
Et tu resteras immobile nue debout avec ta bouche rouge
Comme les piments rouges pendus sur le mur blanc
Et puis tu te coucheras et je me coucherai près de toi
Voilà
Dans ma maison qui n'est pas ma maison tu viendras.

MARCEL BÉALU (1908-1993)

32. « Poème à dire », *L'Air de vie* (1958)

Ce poète, ami de Max Jacob, a été aussi l'âme d'une librairie qu'il a appelée Le Pont traversé. Il a continué à écrire des poèmes toute sa vie, lui qui disait que « l'émerveillement devrait être notre état continuel. »

La liberté ne s'écrit pas sur la forme changeante des nuages
La liberté n'est pas une sirène cachée au fond des eaux
La liberté ne vole pas au gré des vents
Comme la lunule[1] du pissenlit
5 La liberté en robe de ciel ne va pas dîner chez les rats
Elle n'allume pas ses bougies de Noël
Aux lampions du 14 juillet

La liberté je lui connais un nom plus court
Ma liberté s'appelle Amour
10 Elle a la forme d'un visage
Elle a le visage du bonheur

1. Petite lune.

MAURICE CARÊME (1899-1978)

33. « Bonté », *La Lanterne magique* (1947)

Ce poète a d'abord été instituteur et une grande partie de son œuvre est influencée par les poèmes qu'écrivaient ses élèves. Ses mots sont souvent simples et profonds, comme ceux des enfants.

Il faut plus d'une pomme
Pour emplir[1] un panier.
Il faut plus d'un pommier
Pour que chante un verger.
5 Mais il ne faut qu'un homme
Pour qu'un peu de bonté
Luise comme une pomme
Que l'on va partager.

1. Rendre plein.

LÉOPOLD SÉDAR SENGHOR (1906-2001)

34. « Poème à mon frère blanc »

Sa poésie, fondée sur la parole et le chant, s'enracine dans son Afrique natale. Il a été professeur de lettres et le premier président du Sénégal indépendant. Il dit l'espoir d'un monde qui rassemblerait les hommes au-delà de leurs différences.

Cher frère blanc,

Quand je suis né, j'étais noir,
Quand j'ai grandi, j'étais noir,
Quand je suis au soleil, je suis noir,
5 Quand je suis malade, je suis noir,
Quand je mourrai, je serai noir.

Tandis que toi, homme blanc,
Quand tu es né, tu étais rose,
Quand tu as grandi, tu étais blanc,
10 Quand tu vas au soleil, tu es rouge,
Quand tu as froid, tu es bleu,
Quand tu as peur, tu es vert,
Quand tu es malade, tu es jaune,
Quand tu mourras, tu seras gris.

15 Alors, de nous deux,
Qui est l'homme de couleur ?

Jouer avec les mots

MAX JACOB (1876-1944), YVES PINGUILLY (né en 1944)

35. « Pour les enfants et pour les raffinés », *Saint-Matorel* (1911), calligramme d'Yves Pinguilly

Ami d'Apollinaire et de Picasso, Max Jacob appartient à ces poètes créateurs de l'art moderne, au début du XXᵉ siècle. Sa fantaisie, son goût du burlesque animent ce poème.

À Paris
Sur un cheval gris
À Nevers
Sur un cheval vert
5 À Issoire
Sur un cheval noir
Ah ! qu'il est beau ! qu'il est beau !
Ah ! qu'il est beau ! qu'il est beau !
Tiou !

10 C'est la cloche qui sonne
Pour ma fille Yvonne.
Qui est mort à Perpignan ?
C'est la femme du commandant.
Qui est mort à La Rochelle ?
15 C'est la nièce au colonel !
Qui est mort à Épinal ?
C'est la femme du caporal !
Tiou !
Et à Paris, papa chéri.
20 Fais à Paris ! qu'est-ce que tu me donnes à Paris ?

Je te donne pour ta fête
Un chapeau couleur noisette
Un petit sac en satin
Pour le tenir à la main
25 Un parasol en soie blanche

Avec des glands[1] sur le manche
Un habit doré sur tranche
Des souliers couleur orange :
Ne les mets que le dimanche.
Un collier, des bijoux
Tiou !

C'est la cloche qui sonne
Pour ma fille Yvonne !
C'est la cloche de Paris,
Il est l'heure d'aller au lit,
C'est la cloche de Nogent,
Papa va en faire autant.
C'est la cloche de Givet,
Il est l'heure d'aller se coucher.

Ah ! non ! pas encore ! dis !
Achète-moi aussi une voiture en fer
Qui lève la poussière
Par devant et par derrière,
Attention à vous ! mesdames les garde-barrières,
Voilà Yvonne et son p'tit père,
Tiou !

1. Pompons de soie.

BOBY LAPOINTE (1922-1972)

36. « L'hélicon », extrait de l'album *Anthologie – Comprend qui peut* (1962)

Boby Lapointe est d'abord un chanteur et s'est produit sur les scènes parisiennes avec Georges Brassens ou Jacques Brel. Ses jeux avec les mots sont de véritables acrobaties !

Mon fils tu as déjà soixante ans
Ta vieill' maman sucre les fraises[1]
On ne veut plus d'elle au trapèze
À toi de travailler il serait temps
5 Moi, je veux jouer de l'hélicon[2]
Pon pon pon pon

Dans not' petit cirque ambulant
Il y a déjà un hélicon
Choisis donc plutôt d'être clown
10 Ou acrobate comm' ta maman
Non, j'veux jouer de l'hélicon
Pon pon pon pon

N'en parlons plus mauvaise tête
Tiens va donc voir la femme tronc[3]
15 Donn' lui ces haricots d'moutons[4]

1. Elle tremble, elle est gâteuse.
2. Instrument à vent de la famille du tuba.
3. Femme sans membres, comme l'Allemande Violetta qui fit carrière dans le spectacle au début du XXe siècle.
4. Ragoût à base de mouton et de légumes (autre nom du navarin).

Non maman je n'veux pas que la 'tronc pète'
Je veux jouer de l'hélicon
Pon pon pon pon

Mon fils tu es bien polisson
De te moquer d'la femme tronc
La femme tronc qui est si bonne
Eh ! maman que m'importent les 'troncs bonnes'
Je veux jouer de l'hélicon
Pon pon pon pon

Laisse donc cette femme tronc
Qui a pourtant un beau tuba
Et va trouver l'homme serpent
Tu pourras jouer avec au boa
Pas du hautbois de l'hélicon
Pon pon pon pon

Eh bien, y a ton ami Élie
Qui n'est pas très intelligent
Si tu veux vas jouer avec lui
Non maman c'est pas ça l'vrai instrument
Moi j'veux jouer de l'hélicon
Pon pon pon pon

Ah ! tu m'énerv's, ah ! c'en est trop
Tiens : pan pan pan boum, toc il tombe
Ell' l'a tué à coup d'marteau

40 Et l'on a fait graver dessus sa tombe
« Il voulait jouer de l'hélicon
Pon pon pon pon
Con »

Paroles et musique de Boby Lapointe,

GUILLEVIC (1907-1977)

37. « Image », in *Étier*, suivi de *Autres* (1979)

Dans ce poème, Guillevic se montre un virtuose amusé du jeu avec les sonorités.

Sous les herbes, ça se cajole,
Ça s'ébouriffe et se tripote,
Ça s'étripe et se désélytre[1],
Ça s'entregrouille et s'entrefouille,
Ça s'écrabouille et se barbouille,
Ça se chatouille et se dépouille[2],
Ça se mouille et se déverrouille,
Ça se dérouille et se farfouille,
Ça s'épouille[3] et se tripatouille[4] –

Et du calme le pré
Est la classique image.

1. S'enlève les élytres (verbe inventé), paire d'ailes qui recouvre les ailes postérieures de certains insectes.
2. Se dénude.
3. Se cherche des poux.
4. Tripote.

JACQUES ROUBAUD (né en 1932)

38. « Le crocodile », *Les Animaux de tout le monde* (1990)

Jacques Roubaud est membre de l'OuLiPo, un atelier qui allie poésie, jeux et contraintes mathématiques. Il a aussi beaucoup d'humour : « Le crocodile » le laisse deviner…

Le crocodile n'a qu'une idée
il voudrait dévorer Odile
qui habite près de son domicile
elle est tendre et dodue[1] à souhait

5 Le crocodile est obsédé
« ça devrait pas être difficile,
pense-t-il, d'attraper cette fille »
(il emploie la méthode Coué[2])

Mais Odile qui n'est pas sotte
10 ne s'approche pas de la flotte
elle se promène sur la grève[3]

mangeant des beignets de banane au mil[4]
et c'est seulement dans ses rêves
que le crocodile croque Odile.

---

1. Grassouillette.
2. Méthode d'autopersuasion, qui doit déboucher sur une réussite.
3. Au bord de l'eau.
4. Ensemble de céréales cultivées surtout en Afrique.

PIERRE CORAN (né en 1934)

39. « Le chameau », ***La Tête en fleurs*** **(1979)**

Jeune poète dès neuf ans, il est ensuite instituteur, directeur d'école et romancier. Écrire des poèmes pour les enfants est devenu sa principale activité d'écrivain.

Un chameau entra dans un sauna[1].
Il eut chaud,
Très chaud,
Trop chaud.
Il sua,
Sua,
Sua.

Une bosse s'usa,
S'usa,
S'usa.

L'autre bosse ne s'usa pas.

Le chameau, dans le désert,
Se retrouva dromadaire.

1. Une pièce très chaude et très sèche dans le but de purifier le corps.

Après-texte

POUR COMPRENDRE

Étape 1 Si loin, si proches 74
Étape 2 Fables et chansons populaires 76
Étape 3 Portraits de poètes 78
Étape 4 Enfances – Frères animaux 80
Étape 5 Le monde frappe à la porte – À la rencontre de l'autre 82
Étape 6 Jouer avec les mots 84
Étape 7 Synthèse 85

GROUPEMENTS DE TEXTES

Les fables antiques 86
Haïkus : le dit de l'homme et de la nature 88

INFORMATION/DOCUMENTATION

Bibliographie, Internet 92

Lire

Poème 1 (p. 8)

1 Relevez, dans cette strophe, les éléments qui identifient le chevalier. Vers qui vont ses dernières pensées ?

2 Cette chanson était récitée et mimée par un jongleur. Quels gestes imaginez-vous à la lecture de ces vers ?

3 On entend à la rime le son « an ». Quel ton peut-on lui associer : doux ? grave ? triste ? violent ?

Poème 2 (p. 9-10)

4 Quel personnage ce poème partage-t-il avec *La Chanson de Roland* (poème 1) ? Quelle épreuve vit ce personnage ? Vers qui son cœur est-il tourné ?

5 Relevez les champs lexicaux de l'enlacement et de la mort. Quelle idée de l'amour expriment-ils ?

6 Identifiez cette construction : « Je ne puis vivre sans vous comme vous sans moi » (l. 20-21).

Poème 3 (p. 11)

7 Relevez les indices de la première personne du singulier. Sont-ils nombreux ? Quelle est la visée de ce poème ?

8 Quelle infortune le poète déplore-t-il ? Quel élément en est le symbole ? Qu'entend-on dans le « u » de la rime des deux premiers vers ?

Poème 4 (p. 12)

9 Combien de vers compte cette épigramme ? Quel nom donne-t-on à ce type de strophe ?

10 Quel jeu le poète ajoute-t-il à celui des amants ?

11 Précisez les deux sens du mot « feu » dans ce poème. Quel est celui qui domine : le sens propre ou le sens figuré ?

Poème 5 (p. 13)

12 Sur quelle comparaison ce poème progresse-t-il ? Identifiez le comparé, le comparant, l'outil et les points de comparaison.

13 Quelles sont les offrandes du poète à Marie ? Que rappellent-elles ? Comment le poète s'adresse-t-il à la jeune femme ?

14 Quel est le mot qui clôt le premier et le dernier vers ? De l'amour ou de la mort, qui est le plus puissant ?

Poèmes 2 et 5

15 Le lai de Marie de France et le sonnet de Ronsard établissent une comparaison entre la flore et l'amour. Sur quels points de comparaison s'appuient-ils ?

Écrire

16 En vous aidant du poème de Rutebeuf, écrivez un poème sur le thème de la mort d'un animal aimé.

Chercher

17 Recherchez l'étymologie latine du mot « geste ». Qu'est-ce donc que la « geste » d'un chevalier ?

18 Qui étaient Tristan et la reine Yseult ? Résumez l'histoire de ces deux amants célèbres.

19 Rutebeuf était un « trouvère ». Cherchez la définition de ce mot.

QUELQUES FORMES POÉTIQUES : LE LAI, L'ÉPIGRAMME ET LA COMPLAINTE

• Le *lai* est une forme très ancienne, sans doute d'origine bretonne, qui se développe au XIIe siècle. Il était souvent accompagné à la harpe par un artiste qui, comme l'aède antique, chantait les légendes et leurs héros. Les vers sont des octosyllabes où domine une rime, regroupés en strophes de taille variée.

• L'*épigramme* est une forme d'origine antique : le mot désignait une courte inscription, en prose ou en vers, que l'on traçait sur un monument ou un tombeau. Elle était le support préféré de la satire et se développait vers le trait d'esprit du dernier vers. Chez Clément Marot, il s'agit d'un poème court (de huit à dix vers) qui exprime avec légèreté le sentiment amoureux. Beaucoup des épigrammes qu'il a créées sont dédiées à cette Anne.

• La *complainte* est un poème de forme variable qui raconte les malheurs d'un personnage, historique ou fictif, voire du poète lui-même. Elle est la version populaire de l'oraison funèbre.

Lire

Fables : modèles antiques (p. 86-87)

1 Les fables d'Ésope et de Phèdre reproduites dans le groupement de textes (p. 86-87) sont-elles écrites en vers ? Où se trouve la morale dans chacune d'elles ?

2 Quelle fable, pages 86-87, s'appuie sur un comportement humain du loup ? Laquelle se construit sur un retournement de situation ? Pourquoi peut-on parler de « leçon de vie » plus que de « morale » ?

Poème 7 (p. 19)

3 Mettez en évidence les éléments par lesquels La Fontaine imite la fable de Phèdre (personnages, rapport entre récit et paroles rapportées).

4 Mettez en évidence les différences : quelle partie du texte sert de morale ? Par quel procédé celle-ci est-elle rendue plus vivante ? La Fontaine utilise-t-il des vers de même longueur ? Comment dispose-t-il les rimes ?

Poème 8 (p. 20-21)

5 Identifiez les trois parties du récit et donnez un titre à chacune d'elles. Rapprochez la situation finale de celle de la fable d'Ésope. Que remarquez-vous ? La morale est-elle la même ?

6 Pourquoi les personnages de la chèvre et du chevreau sont-ils source de comique ? Comment La Fontaine et Ésope s'amusent-ils avec la représentation traditionnelle du loup ? La Fontaine intervient-il dans le récit ? Sur quel ton ?

Poème 6 (p. 16-18)

7 Quel type de discours domine dans cette fable ? Le récit ou le dialogue ? Pourquoi selon vous ? Quelle est la visée du récit de cette rencontre ?

8 De quoi le chien veut-il convaincre le loup ? Avec quels arguments ? Quels vers montrent qu'il y réussit presque ?

9 Où s'opère le retournement ? Quel est le rythme des vers suivants ? Quelle réaction du loup souligne-t-il ?

10 Quelle morale La Fontaine laisse-t-il deviner au lecteur ?

Synthèse sur les fables

11 Des trois fables de La Fontaine, laquelle est votre préférée ? Justifiez votre réponse.

12 De quel personnage vous sentez-vous proche ? Pour quelle raison ?

Poèmes 9, 10 et 11 (p. 22-26)

13 Quel est le thème commun à ces trois chansons ?

14 Ces poèmes étaient souvent chantés par des soldats que la guerre avait envoyés loin de chez eux. Quels sentiments expriment-ils ?

15 Identifiez dans chaque texte ce qui l'apparente à la poésie et à la musique.

Écrire

16 Enrichissez la fable « Le Loup et la Cigogne » en imaginant ce que la cigogne dit au moment où elle demande son salaire. Vous utiliserez le vouvoiement.

17 Dans « Le Loup, la Chèvre et le Chevreau », La Fontaine écrit : « Où serait le biquet, s'il eût ajouté foi / Au mot du guet » ? Écrivez en quelques lignes la fin et la morale qui découleraient de cette modification.

Chercher

18 Citez le nom des artistes qui ont illustré les fables de La Fontaine. Classez-les chronologiquement.

19 Quels sont les auteurs contemporains de La Fontaine qui, comme lui, ont mis en scène les défauts de l'homme et de la société ? Précisez le genre dans lequel ils ont écrit.

LA FONTAINE ET SES MODÈLES

Le premier recueil de fables que publie La Fontaine, en 1668, est écrit pour les enfants ; il est dédié au Dauphin, fils du roi. Le but du poète est de proposer une leçon de vie. Or, dit-il, « une morale nue apporte de l'ennui. » Il faut donc instruire de façon plaisante.

Ses modèles sont multiples : Ésope et Phèdre, les plus connus, mais aussi les conteurs de l'Antiquité et les fabulistes orientaux.

Comme les Anciens, il pense que la nature, et les animaux en particulier, sont une « fabuleuse » source d'inspiration. Il reprend à Ésope et à Phèdre nombre de personnages : le loup, le renard, l'âne, le lion… Mais il transforme ces modèles selon son bon plaisir et, surtout, pour distraire le lecteur : il fait de la fable une petite comédie, fait dialoguer les animaux, intervient avec esprit, comme dans « Le Loup, la Chèvre et le Chevreau » où il s'amuse de la « patte blanche » du loup.

Tout comme Molière, son contemporain, La Fontaine veut d'abord plaire. Il y a réussi : ses fables sont toujours lues et mises en scène.

Lire

Poèmes 13 (p. 30-31) et 15 (p. 33)

1 Quelle strophe de « Ma bohème » rappelle les deux premiers vers du poème de Victor Hugo ? Qui les deux poètes « adorent-ils » ? Ils utilisent le même vers : lequel ?

2 Choisissez, parmi ces cinq adjectifs, ceux qui caractérisent plus justement l'esprit du poète : impatient, joyeux, rêveur, fantaisiste, juvénile, amoureux. Quels sentiments sont soulignés par les points d'exclamation ?

3 Relevez les motifs qui représentent la Nature dans chacun de ces deux poèmes. Précisez la relation que le poète entretient avec celle-ci.

Poème 14 (p. 32)

4 Ce poème est-il écrit en vers ? Quelle forme prend-il ? Qui parle à qui ?

5 Quel mot décrirait le mieux la situation du poète ? Appuyez-vous sur les réponses de celui-ci. En est-il malheureux ?

6 Que représentent les nuages ? Cherchez l'assonance des deux dernières lignes.

7 De quel adjectif est dérivé le mot « étranger » ? Trouvez deux synonymes de cet adjectif dans le poème.

Poème 16 (p. 34)

8 Quelle est la forme du dernier vers des trois premières strophes ? Que dit-elle du sort réservé par la vie à ce personnage ? Du comportement des autres à son égard ?

9 Quel sentiment Gaspard exprime-t-il à la fin du poème ? Par quelle assonance celui-ci est-il suggéré (v. 14-16) ?

Poème 12 (p. 28-29)

10 Cherchez le sens des mots « El Desdichado ». Relevez dans les deux quatrains les mots qui évoquent un amour mort.

11 Aidez-vous du mythe d'Orphée – chez Ovide, par exemple – pour expliquer ce vers : « Et j'ai deux fois vainqueur traversé l'Achéron » (v. 12).

Synthèse

12 Quelle est la représentation du poète dont vous vous sentez le plus proche ? Quel est le poème le plus accessible ? Que remarquez-vous ?

13 Quels poèmes sont des sonnets ?

Écrire

14 Dans son poème, Victor Hugo écrit : « Tous ces vieillards, les ifs, les tilleuls, les érables » (p. 30, v. 13). Il associe les arbres à des vieillards, sans faire de comparaison. Il utilise une métaphore. Expliquez-la.

15 Quelles sont les beautés de la nature que vous aimeriez évoquer dans un poème ? Justifiez votre réponse.

Chercher

16 À quel âge Rimbaud écrit-il « Ma bohème » ? Dans quelles circonstances ?

17 Gaspard Hauser est un personnage qui a réellement existé. Retrouvez sa tragique histoire.

18 Pourquoi Orphée est-il le « modèle » de beaucoup de poètes ? Quel registre poétique doit son nom à l'instrument qui l'accompagnait ?

Oral

19 Apprenez par cœur le poème de Baudelaire (p. 32), puis récitez-le à deux voix.

À savoir

BIEN LIRE ET BIEN DIRE UN POÈME

Dans un poème, la sonorité des mots, la musique créée par eux, est aussi importante que le sens. C'est pour cette raison que beaucoup de textes ont été mis en musique ou interprétés sur scène par des acteurs. C'est une chose que bien lire un poème, une autre que bien le dire, le « jouer ». Commencez par le lire autant de fois que nécessaire, jusqu'à ce que vous ne butiez plus sur aucun mot. Puis aidez-vous de la ponctuation pour donner au vers son rythme. S'il n'y a pas de ponctuation, groupez les mots en leur imprimant votre propre rythme ; créez-le, mais sans faire de contresens. Travaillez votre respiration pour ne pas faire de coupe là où il n'en faut pas. Pour la mélodie, utilisez les sons, les assonances, les allitérations, les rimes – féminines (qui se termine par un « e » muet) et masculines (toutes les autres).

Il vous reste à donner son ton au poème : comique ; lyrique, qui fait passer des émotions ; épique, qui suscite l'admiration ; pathétique, qui doit provoquer la pitié ; tragique, qui doit inspirer l'horreur ou le frisson ; satirique, qui tourne son objet en ridicule.

Enfin, articulez, prononcez bien chaque son et placez votre voix : rendez-la audible de tous, sans la forcer. Installez votre corps dans la posture la plus confortable pour ce travail. À vous !

FRÈRES ANIMAUX

Lire

Poème 17 (p. 36)

1 Quel temps verbal et quelle assonance expriment l'espoir dont l'enfant est porteur ? À quel champ lexical renvoient les mots « blanc », « Orient », « couleur », « soleil », « clair » et « éclaire » ?

2 Éluard choisit-il une forme fixe ou écrit-il en vers libres ? Pourquoi ce choix, selon vous ?

Poème 19 (p. 38-40)

3 Où l'enfant se trouve-t-il ? Que diriez-vous de la disposition des vers dans la page ?

4 Que fait l'enfant de l'oiseau lyre ? Pourquoi Prévert a-t-il choisi cette espèce d'oiseau ?

5 Quels sont les pouvoirs de l'oiseau et de l'enfant sur la classe ? Que deviennent les chiffres eux-mêmes ? Comment interpréteriez-vous la répétition, en début de vers, de la conjonction « et » ?

Poèmes 18 (p. 37) et 19

6 Qui parle dans le poème 18 ? Comment ce pronom est-il mis en valeur ?

7 Cherchez le sens de l'expression « peigner la girafe » (v. 12) et expliquez en quoi on peut rapprocher ce poème du poème 19. Qu'est-ce qui est essentiel, dans la vie, pour l'un et l'autre poètes ?

Poème 20 (p. 41-42)

8 Quels procédés d'écriture apparentent ce poème à une chanson ? Dans quels registres de langue est-il écrit ?

9 En quoi l'ogre veut-il transformer les enfants ? Justifiez votre réponse.

10 Qu'est-ce qui est drôle dans la façon dont l'ogre voit les enfants ?

Poème 21 (p. 43)

11 Quels sentiments du poète l'adjectif « petit » et la simplicité de la forme mettent-ils en avant ?

12 Relevez les pronoms qui soulignent l'attachement du cheval pour les humains.

Poème 23 (p. 46-47)

13 Relevez les motifs qui apparentent ce poème à un conte ou à une fable. Qu'est-ce qui relève du langage enfantin ? En quoi la morale est-elle amusante ?

14 Quelle est la visée des paroles que le chat adresse à la petite fille ?

Poème 22 (p. 44-45)

15 Qu'est-ce qu'un « bestiaire » ? Qu'est-ce qu'un « bois » ?

16 Quels sont les antécédents du pronom « lesquels » ? Pourquoi le chat est-il un des animaux préférés du poète ?

Poème 24 (p. 48)

17 Quelle comparaison ce poème développe-t-il ? Relevez le mot et les points de comparaison.

18 À quel temps verbal est-il écrit ? Quelle fragilité évoque-t-il ?

19 Relevez les procédés qui imitent les battements d'ailes du martinet. Observez la longueur des strophes, des phrases. Quelle assonance imite le cri de l'oiseau ?

Écrire

20 Relisez le poème 23 et imaginez ce que vous diriez à la petite fille pour la consoler de la mort de l'oiseau.

21 Comme René Char (poème 24), associez le cœur à une autre réalité, animale ou végétale. Précisez les points de comparaison.

Chercher

22 Choisissez votre animal préféré et constituez un florilège de poèmes qui lui sont consacrés. Notez bien le titre du poème, celui du recueil et le siècle du poète.

23 Quels sont les artistes qui ont mis en musique et chanté La « Complainte du petit cheval blanc » ?

24 Faites un classement chronologique des auteurs et des poèmes.

À SAVOIR

QUELQUES REGISTRES POÉTIQUES

Les poèmes étudiés dans cette double page ont des visées différentes : dans « Chanson de l'ogre », Jean-Luc Moreau veut faire rire ; dans « Complainte du petit cheval blanc », « Le martinet » ou « Je mènerai mon enfant », le poète veut émouvoir. Pour cela, il choisit un registre.

Le *registre comique* utilise le jeu avec les mots (« peigner la girafe ») ou donne de la légèreté à une situation pathétique : « Si j'avais su que cela te fasse tant de peine / […] Je l'aurais mangé tout entier » (v. 16-18, p. 46), dit le chat à la petite fille dans « Le chat et l'oiseau ». Il peut aussi retourner une situation tragique et se faire humour noir comme dans « Chanson de l'ogre ».

Le *registre lyrique* exprime les émotions et les sentiments du poète à l'aide de la première personne, des champs lexicaux et des images – comparaisons ou métaphores : dans « Le martinet » et dans « Page d'écriture », le poète utilise l'oiseau pour suggérer la liberté, l'inspiration, le rythme de la vie.

À LA RENCONTRE DE L'AUTRE

Lire

Poèmes 25 (p. 49), 26 (p. 50) et 28 (p. 53)

1 De ces trois poèmes, lequel s'apparente au calligramme ? Lequel est écrit au mode impératif ?

2 Reverdy et Fort fixent un instant d'émerveillement devant la beauté du monde : quelle longueur donnent-ils à leur poème ? Quel temps verbal utilisent-ils ? En vous aidant de la réponse à la question précédente, montrez que Guillevic, lui, invite le lecteur à créer ce moment.

3 Relevez le champ lexical de la lumière et identifiez les procédés qui créent le mouvement dans les trois poèmes (anaphores, enjambements, rejets, nature des vers...) ; puis dites à quel aspect de la beauté de la nature chaque auteur est le plus sensible. Pourquoi deux d'entre eux précisent l'heure de « midi » ?

4 Relevez les métaphores dans le poème 26 ; une comparaison et une métaphore dans le poème 25.

Poèmes 27 (p. 51-52) et 29 (p. 54)

5 Quel est le sens propre et le sens figuré de l'expression « battre la campagne » ? Relevez les vers du poème 27 qui évoquent la violence faite à la forêt. Quelle condition celle-ci et la campagne partagent-elles ?

6 Dans quel poème le locuteur est-il personnifié ?

7 Que demandent l'enfant et la forêt ? Quels sont les vers qui expriment cette requête ?

8 Qu'est-ce qui rapproche l'enfant, la campagne et la forêt ?

Poème 31 (p. 57-59)

9 « Je vous ai attendue » (v. 10) : observez l'accord du participe passé. À qui le poète s'adresse-t-il ?

10 Le motif du piment rouge apparaît au début et à la fin du poème. À quoi Prévert l'associe-t-il ?

11 Quel est l'état d'esprit du poète jusqu'au vers 44 ?

Poème 32 (p. 60)

12 À quel univers appartiennent les images des sept premiers vers ? Justifiez la tournure grammaticale utilisée.

13 Commentez le passage de « La » (v. 8) à « Ma » (v. 9).

14 Qu'est-ce qui montre, dans la forme du poème, que l'essentiel est dans les trois derniers vers ?

Poème 30 (p. 55-56)

15 Relevez les expressions populaires sur lesquelles le poème est construit.

16 Relevez les vers qui déclinent le mot « copain ». Montrez que les adjectifs augmentent en tendresse.

Poème 33 (p. 61)

17 Pourquoi ce poème s'apparente-t-il à une comptine ?

18 Que représente la pomme dans ce poème ? Quel est le dernier mot du dernier vers ?

Poème 34 (p. 62)

19 Quelle figure de style rythme ce poème ? Relevez les symétries qui donnent de la force au propos.

20 Donnez les deux sens de l'expression « homme de couleur » sur laquelle joue le texte.

Écrire

21 Imitez le poème « Recette » de Guillevic : choisissez trois éléments d'un paysage que vous trouvez beau ; commencez la 1re strophe par « Prenez », la 2e par « Placez » et la 3e par « Mettez ».

22 À votre tour, créez une comparaison et une métaphore autour de la mer et de l'arbre.

Chercher

23 Desnos parle de son copain à l'imparfait. Qu'est-ce qu'un « tombeau » en poésie ? Écoutez la chanson intitulée « Avoir un bon copain » interprétée par Henri Garat en 1931. Dans quel film l'entend-on ?

24 Quel artiste de music-hall a interprété « Dans ma maison » de Jacques Prévert ?

À SAVOIR

COMPARAISON ET MÉTAPHORE

La comparaison et la métaphore sont des figures de style, c'est-à-dire des façons de s'exprimer recherchées, qui attirent l'attention du lecteur et le frappent. La *comparaison* rapproche deux éléments pour souligner, le plus souvent, leur point commun. Elle associe le comparé à un comparant par l'intermédiaire d'un outil de comparaison : « comme », « tel que », « pareil à »... Le point de comparaison est suggéré par un verbe ou un adjectif. Dans les vers de Paul Fort « La mer brille / comme une coquille » (v. 1-2, p. 49), le comparé est « la mer », le comparant « une coquille ». Le point de comparaison, contenu dans le verbe « brille », est la luminosité. La *métaphore* rapproche deux éléments sur un point commun, mais sans outil de comparaison, comme dans le vers de Paul Fort « Elle est d'argent et de dentelle » (v. 7, p. 49). Le point de comparaison est souvent implicite et demande un travail d'interprétation de la part du lecteur.

JOUER AVEC LES MOTS

Lire

Poème 35 (p. 63-65)

1 Par quels aspects ce poème se rapproche-t-il de la comptine ? Quelles strophes fonctionnent seulement sur les rapprochements phoniques ?

2 Observez la ponctuation et le rythme qu'elle donne aux vers, les allitérations. Quel instrument de musique « entendez »-vous ?

Poème 36 (p. 66-68)

3 Quelle « histoire » ce poème raconte-t-il ? À quel milieu les deux personnages appartiennent-ils ?

4 Quel est le *leitmotiv* du poème ? Quel âge a l'« enfant » ?

5 Relevez les paronomases et les calembours. Quel type de comique créent-ils ?

Poème 37 (p. 69)

6 À quoi le pronom indéfini « ça » renvoie-t-il ? Comment s'appelle le procédé qui construit le poème ? Quel type de rimes Guillevic emploie-t-il ?

7 Comment le poète s'amuse-t-il avec les verbes ? Quel type d'activité décrivent-ils ?

Poème 38 (p. 70)

8 Montrez que ce poème renverse le rapport entre le prédateur et sa proie.

9 Dans quel but le poète a-t-il choisi le prénom « Odile » ? Quelles sont les qualités de cette petite fille ?

10 Quelle est la sonorité qui rythme le poème ? Sur quelle figure de style se termine-t-il ?

Poème 39 (p. 71)

11 Quelle est la visée du poème ?

12 À quoi sert la répétition de certains mots ? Et l'assonance en « a » ?

13 Quel ton le premier vers donne-t-il au poème ?

Écrire

14 Imitez le poème de Pierre Coran en partant de la particularité d'un autre animal.

15 Créez un calligramme (*cf.* p. 63) qui représente l'animal de votre choix.

LA COMPTINE

À l'origine, la comptine est une formule parlée ou chantée qui permet d'attribuer un rôle dans un jeu. Elle ne demande pas forcément à être comprise : ce qui importe, c'est le rythme, les sons, de faire rire et danser. Beaucoup de poètes du XXᵉ siècle se sont amusés à en écrire ou à les parodier.

Lire

1 Listez les formes fixes rencontrées en précisant le titre du poème, l'auteur et son siècle ; puis donnez plusieurs exemples de formes libres. La forme est-elle un critère nécessaire au genre poétique ?

2 Nommez un poème narratif, explicatif, descriptif et argumentatif.

3 Quels types de strophes, de vers réguliers avez-vous observés ?

4 Faites une liste de comparaisons et une liste de métaphores.

5 Donnez un exemple de chaque registre (lyrique, épique, élégiaque, fantaisiste, ironique, burlesque, humoristique, etc.) et rappelez la visée de chacun d'eux.

6 Déterminez quatre thèmes communs aux poèmes de ce recueil et illustrez-les par des exemples. Y a-t-il un thème dominant ?

7 Quels sont les poèmes qui évoquent la nature ? Quels rôles le poète lui attribue-t-il ?

8 Listez tous les animaux rencontrés dans ce recueil. Quel est celui qui pourrait représenter le poète ?

9 Que représentent les enfants pour le poète ? Se reconnaît-il en eux ?

Écrire

10 Saisissez un beau moment de votre journée et écrivez un haïku qui l'évoque (*cf.* p. 88-91).

Chercher

11 Certains de ces poèmes ont été illustrés. Associez poètes et artistes.

À SAVOIR

POURQUOI UN TEXTE EST-IL POÉTIQUE ?

Un même poète peut écrire des textes très différents : Max Jacob a écrit des poèmes mystiques et cocasses ; Jacques Prévert en a écrit des tragiques et des drôles ; Apollinaire des longs et de très courts ; Baudelaire et Rimbaud ont écrit des sonnets et de la prose poétique. En fait, ce qui caractérise la poésie, c'est le regard qu'elle porte sur le monde à travers le poète : l'objet le plus ordinaire, le lieu par lequel on passe tous les jours, les êtres du quotidien peuvent devenir des poèmes, parce qu'un jour, nous allons les regarder différemment, exprimer le désir de parler d'eux, des émotions qu'ils éveillent en nous ; parce que nous aurons envie d'écrire et de partager ces mots avec les autres.

LES FABLES ANTIQUES

Le mot « fable » vient du latin *fabula*, qui signifie « conte », « légende », « histoire ». Dès l'Antiquité, on écrit des fables. Elles mettent en scène des personnages imaginaires – souvent des animaux – qui montrent aux hommes comment ils se conduisent et les invitent à réfléchir à leurs comportements. On attribue l'invention de cette forme à Ésope, un esclave grec affranchi, qui aurait vécu au VIe siècle avant J.-C. La tradition dit qu'il racontait des histoires courtes et amusantes pour distraire ses contemporains tout en leur donnant une leçon de « morale ». Les fables d'Ésope ont été traduites en latin par Phèdre et elles eurent beaucoup de lecteurs, jusqu'à Jean de La Fontaine, qui les a adaptées et récrites selon son époque et sa visée.

Ésope (VIIe-VIe siècle av. J.-C.)

« Le loup déguisé en agneau »

Ésope est en partie légendaire. Les fables qui lui sont attribuées appartiennent à la tradition orale orientale et ont été rassemblées et transcrites en grec par des auteurs beaucoup plus tardifs.

Un loup affamé rôdait toujours autour d'un troupeau d'agneaux. Mais le berger montait si bien la garde qu'il ne pouvait guère s'en approcher. Un jour, non loin du pré, le loup trouva une peau d'agneau que le berger avait abandonnée. Ravi de l'aubaine, le loup l'enfila par-dessus sa fourrure et se mêla au troupeau. Personne ne le reconnut car tout le monde croyait que c'était un mouton parmi d'autres.

La nuit venue, le berger, qui avait très faim, décida de sacrifier un animal pour son souper. Il vit un mouton qui s'approchait lentement de sa cabane. Comme le déguisement du loup était vraiment parfait, le berger le prit pour un de ses moutons et lui asséna un grand coup de gourdin. C'est ainsi que l'ingénieuse idée du loup lui fut fatale.

Lorsqu'on joue un tour à quelqu'un, il faut prendre garde à ne pas être pris à son propre piège.

Phèdre (Ier siècle)

« Le Loup et la Grue », fable VIII, *Les Fables ésopiques de Phèdre, affranchi d'Auguste*, traduction de E. Panckoucke, F. Levasseur, J. Chenu, texte établi par E. Pessonneaux, 1864.

Cet auteur latin, ancien esclave, a écrit des fables très inspirées d'Ésope qui mettent en scène les défauts de l'homme.

Attendre des méchants la récompense d'un bienfait, c'est double faute : d'abord, on a obligé des indignes ; ensuite, on risque de ne pas s'en tirer sain et sauf.

Un Loup avala un os qui lui resta dans le gosier. Vaincu par la douleur, il demandait secours, promettant une récompense à qui le délivrerait de son mal. La Grue se laisse enfin persuader par ses serments ; elle hasarde la longueur de son cou dans la gueule du Loup, et fait cette dangereuse opération. Comme ensuite elle réclamait son salaire : « Ingrate, lui dit-il, tu as retiré ta tête saine et sauve de mon gosier, et tu demandes une récompense ! »

HAÏKUS : LE DIT DE L'HOMME ET DE LA NATURE

Le haïku est né au XVIe siècle au Japon. C'est un poème de cinq vers, divisé en deux parties, que les poètes écrivaient en groupe. Au XVIIe siècle, le poète Bashō crée la forme que l'Occident a découverte au début du XXe siècle : un poème de trois vers, qui contient l'allusion à une saison. Sa forme extrêmement concise convient au regard qui le fait naître. Le haïku est la capture d'un instant de grâce, d'émerveillement devant la beauté éphémère de la Nature ou l'expression simple d'un moment essentiel dans la vie d'un homme qui, souvent, est le poète lui-même.

Haïkus traditionnels japonais

Matsuo Bashō (1644-1695)

Deux haïkus, in *365 haïkus instants d'éternité*,

Fils de samouraï, Matsuo Bashō devient disciple d'un maître du « haïkaï » dès l'âge de 13 ans. Il fonde une école à Edo – l'actuelle Tokyo – et choisit de vivre en ermite, loin de l'agitation. Il consacre alors sa vie à la littérature et transmet son enseignement au cours de nombreux et longs voyages.

silence
le chant des cigales
pénètre les rocs

de quel arbre en fleur ?
je ne sais
quel parfum !

Kobayashi Issa (1763-1828)

Deux haïkus, in *365 haïkus instants d'éternité*,

Ce poète est l'élève d'un disciple de Bashō et connaît une vie tragique, marquée par la mort de ceux qu'il aime. Il dit, avec des mots simples et beaux, les larmes, mais aussi les plaisirs de l'existence éphémère des hommes et des animaux.

ondoyant
à travers les herbes des champs
le printemps s'en va

sous la pluie battante
où vas-tu donc
ô escargot ?

soirée de lune
je vais prendre le frais
au cimetière

Eizo Ryokan (1758-1831)

Deux haïkus, in *365 haïkus instants d'éternité*,

Ryokan, né dans une famille de lettrés, est poète, calligraphe et moine bouddhiste. Son nom signifie « bon » et « bienveillant ». Ses poèmes montrent en effet beaucoup d'amour pour les humains et les animaux, et saluent la quiétude de la nature.

nuit sans lune
dans le jardin
juste le bruit des insectes

complètement ivre
où m'assoupir ?
les lotus en fleurs

quiétude
sur un oreiller d'herbes
dans ma hutte d'automne

Haïkus francophones

Guillevic (1907-1997)

Art poétique, © Éditions Gallimard, 1989.

Guillevic fait partie des poètes contemporains séduits par le haïku qui, en quelques mots, dit l'essentiel.

Le jeu du soleil
Sur le tronc du chêne,
Le temps d'un bonheur.

Jean-Hugues Malineau (né en 1945)

Petits haïkus des saisons, L'École des loisirs, 2000.

Avec ces haïkus, Jean-Hugues Malineau s'inscrit dans la tradition japonaise qui veut que cette forme dise une émotion, un sentiment nés d'une image de la nature.

Une perle
au doigt du peuplier
pleine lune

BIBLIOGRAPHIE

• Anthologies poétiques pour la jeunesse

– Jacques Charpentreau, *Poèmes d'aujourd'hui pour les enfants de maintenant*, éditions ouvrières (puis éditions de l'Atelier), 1975.

– Jacques Charpentreau, *Les Plus Beaux Poèmes d'hier et d'aujourd'hui*, Le Livre de Poche Jeunesse, 2001.

– Jacques Charpentreau, *Trésor de la poésie française*, Le Livre de Poche Jeunesse, 2005.

– Jacques Roubaud, *128 poèmes composés en langue française de Guillaume Apollinaire à 1968*, Gallimard Éducation, 2001.

– Christian Poslaniec et Bruno Doucey, *Enfances – Regards de poètes*, éditions Bruno Doucey, 2012.

– *Je voudrais tant que tu te souviennes – Poèmes mis en chansons de Rutebeuf à Boris Vian*, sous la direction de Sophie Nauleau, Gallimard, 2013.

• Collections de poésie

– La collection « Folio Junior Poésie » aux éditions Gallimard : nombreuses anthologies consacrées aux poètes et à leurs thèmes préférés (la mer, la ville, la liberté, etc.).

– La collection « Enfance en Poésie » aux éditions Gallimard.

• Quelques œuvres des poètes de ce recueil

– Apollinaire, Béatrice Alemagna, *Petit bestiaire*, Gallimard Jeunesse, 2014.

– Robert Desnos, *Œuvres pour enfants (Chantefleurs, Chantefables, Le Parterre d'Hyacinthe)*, Gründ.

– *Poèmes de Max Jacob*, Gallimard Jeunesse, 2011.

– Bashõ, *Cent onze haïku*, Verdier, 2009.

– *Robert Desnos, un poète*, Gallimard, Folio Junior, 1998.

• Quelques œuvres des poètes de ce recueil

Françoise Kerisel et Frédéric Clément, *Bashô, le fou de poésie*, Albin Michel, 2009.

• Atelier

Christine Beigel, Yolande Causse, Jean Claverie, Anne Simon, *Mon atelier d'écriture et mon atelier de poésie*, Albin Michel.

INTERNET

– http://www.printempsdespoetes.com/

– http://www.maisondelapoesieparis.com/

Classiques & Contemporains

SÉRIE « LES GRANDS CONTEMPORAINS PRÉSENTENT »

D. Daeninckx présente *21 récits policiers*
L. Gaudé présente *13 extraits de tragédies*
A. Nothomb présente *20 récits de soi*
K. Pancol présente *21 textes sur le sentiment amoureux*
É.-E. Schmitt présente *13 récits d'enfance et d'adolescence*
B. Werber présente *20 récits d'anticipation et de science-fiction*

Adam, *Je vais bien, ne t'en fais pas*
Alain-Fournier, *Le Grand Meaulnes*
Anouilh, *L'Hurluberlu – Pièce grinçante*
Anouilh, *Pièces roses*
Anouilh, *La Répétition ou l'Amour puni*
Balzac, *La Bourse*
Barbara, *L'Assassinat du Pont-Rouge*
Begag, *Salam Ouessant*
Bégaudeau, *Le Problème*
Ben Jelloun, Chedid, Desplechin, Ernaux, *Récits d'enfance*
Benoit, *L'Atlantide*
Boccace, Poe, James, Boyle, etc., *Nouvelles du fléau*
Boisset, *Le Grimoire d'Arkandias*
Boisset, *Nicostratos*
Braun (avec S. Guinoiseau), *Personne ne m'aurait cru, alors je me suis tu*
Calvino, *Le Vicomte pourfendu*
Castan, *Belle des eaux*
Chaine, *Mémoires d'un rat*
Colette, *Claudine à l'école*
Conan Doyle, *Le Monde perdu*
Conan Doyle, *Trois Aventures de Sherlock Holmes*
Corneille, *Le Menteur*
Corneille, *Médée*
Cossery, *Les Hommes oubliés de Dieu*
Coulon, *Le roi n'a pas sommeil*
Cournut, *De pierre et d'os*
Courteline, *La Cruche*
Daeninckx, *Cannibale*
Daeninckx, *Histoire et faux-semblants*
Daguerre, *Adieu Monsieur Haffmann*
Dahl, Bradbury, Borges, Brown, *Nouvelles à chute 2*
Defoe, *Robinson Crusoé*
Diderot, *Supplément au Voyage de Bougainville*
Dorgelès, *Les Croix de bois*
Dostoïevski, *Carnets du sous-sol*
Du Maurier, *Les Oiseaux et deux autres nouvelles*
Du Maurier, *Rebecca*
Dumas, *La Dame pâle*
Dumas, *Le Bagnard de l'Opéra*
Feydeau, *Dormez, je le veux !*
Fioretto, *Et si c'était niais ? – Pastiches contemporains*
Gaudé, *La Mort du roi Tsongor*
Gaudé, *Médée Kali*
Gaudé, *Salina*
Gaudé, *Voyages en terres inconnues – Deux récits sidérants*
Gavalda, Buzzati, Cortázar, Bourgeyx, Kassak, Mérigeau, *Nouvelles à chute*
Germain, *Magnus*
Giraudoux, *La guerre de Troie n'aura pas lieu*
Giraudoux, *Ondine*
Grumberg, *Les Vitalabri*
Gripari, *Contes de la rue Broca et de la Folie-Méricourt*
Gripari, Dubillard, Grumberg, Tardieu, *Courtes pièces à lire et à jouer*
Havel, *Audience*
Higgins Clark, *La Nuit du renard*
Higgins Clark, *Le Billet gagnant et deux autres nouvelles*
Highsmith, Poe, Maupassant, Daudet, *Nouvelles animalières*

Hoffmann, *L'Homme au sable*
Hoffmann, *Mademoiselle de Scudéry*
Huch, *Le Dernier Été*
Hugo, *Claude Gueux*
Hugo, *Théâtre en liberté*
Ibsen, *Une maison de poupée*
Ionesco, *Rhinocéros et deux autres nouvelles*
Irving, *Faut-il sauver Piggy Sneed ?*
Jacq, *La Fiancée du Nil*
James, *Le Tour d'écrou*
Johnson, *La Colline des potences*
Kafka, *La Métamorphose*
Kamanda, *Les Contes du Griot*
King, *Cette impression qui n'a de nom qu'en français et trois autres nouvelles*
King, *La Cadillac de Dolan*
Kipling, *Histoires comme ça*
Kipling, *Le Livre de la jungle*
Klotz, *Killer Kid*
Lebeau, *Petit Pierre*
Leblanc, *Arsène Lupin, gentleman-cambrioleur*
Lemaitre, *Au revoir là-haut*
Leroux, *Le Mystère de la chambre jaune*
London, *Construire un feu*
London, Poe, *La Peste écarlate* suivi du *Masque de la mort rouge*
London, *L'Appel de la forêt*
Lowery, *La Cicatrice*
Maran, *Batouala*
Marivaux, *La Colonie* suivi de *L'Île des esclaves*
Mérimée, *Tamango*
Michalik, *Le Cercle des illusionnistes*
Michalik, *Edmond*
Michalik, *Intra Muros*
Michalik, *Le Porteur d'histoire*
Molière, *Dom Juan*
Molière, *George Dandin*
Mourey, *Les Crapauds fous*
Murakami, *L'éléphant s'évapore* suivi du *Nain qui danse*
Némirovsky, *Jézabel*
Nothomb, *Acide sulfurique*
Nothomb, *Barbe bleue*
Nothomb, *Les Combustibles*
Nothomb, *Métaphysique des tubes*
Nothomb, *La Nostalgie heureuse*
Nothomb, *Péplum*
Nothomb, *Le Sabotage amoureux*
Nothomb, *Stupeur et Tremblements*
Olmi, *Bakhita – De l'esclavage à la liberté*
Perrault, Mme d'Aulnoy, etc., *Contes merveilleux*
Petan, *Le Procès du loup*
Poe, Gautier, Maupassant, Gogol, *Nouvelles fantastiques*
Pons, *Délicieuses frayeurs*
Pouchkine, *La Dame de pique*
Reboux et Muller, *À la manière de...*
Renard, *Poil de Carotte* (comédie en un acte), suivi de *La Bigote* (comédie en deux actes)
Reza, *« Art »*
Reza, *Le Dieu du carnage*
Reza, *Trois versions de la vie*
Ribes, *Trois pièces facétieuses*
Rouquette, *Médée*
Sand, *Marianne*
Schmitt, *Le Chien*
Schmitt, *Crime parfait et Les Mauvaises Lectures – Deux nouvelles à chute*
Schmitt, *L'Enfant de Noé*
Schmitt, *Hôtel des deux mondes*
Schmitt, *Le Joueur d'échecs*
Schmitt, *Milarepa*
Schmitt, *Monsieur Ibrahim et les fleurs du Coran*
Schmitt, *La Nuit de Valognes*
Schmitt, *Oscar et la dame rose*
Schmitt, *Ulysse from Bagdad*
Schmitt, *Vingt-quatre heures de la vie d'une femme*
Schmitt, *Le Visiteur*
Sévigné, Diderot, Voltaire, Sand, *Lettres choisies*
Signol, *La Grande Île*
Stendhal, *Vanina Vanini*
Stevenson, *Le Cas étrange du Dr Jekyll et de M. Hyde*

Twain, *Les Aventures de Tom Sawyer*
Uhlman, *La Lettre de Conrad*
Vargas, *Debout les morts*
Vargas, *L'Homme à l'envers*
Vargas, *L'Homme aux cercles bleus*
Vargas, *Pars vite et reviens tard*
Vargas, *Sous les vents de Neptune*
Vercel, *Capitaine Conan*
Vercors, *Le Silence de la mer*
Vercors, *Zoo ou l'assassin philanthrope*
Voltaire, *L'Ingénu*
Wells, *La Machine à explorer le temps*
Werth, *33 Jours*
Wilde, *Le Crime de Lord Arthur Savile*
Zeniter, *Jusque dans nos bras*
Zola, *Thérèse Raquin*
Zweig, *Le Joueur d'échecs*
Zweig, *Lettre d'une inconnue*
Zweig, *Vingt-quatre heures de la vie d'une femme*

Recueils et anonymes

90 poèmes classiques et contemporains
Avec autrui : familles, amis, réseaux
Les Aventures extraordinaires d'Adèle Blanc-Sec
Ceci n'est pas un conte et autres contes excentriques du XVIIIe siècle
La condition féminine
Contes populaires de Palestine
Dénoncer les travers de la société
La Dernière Lettre – Paroles de Résistants fusillés en France (1941–1944)
Histoires vraies – Le Fait divers dans la presse du XVIe au XXIe siècle
La Farce de Maître Pierre Pathelin
Les Grands Textes du Moyen Âge et du XVIe siècle
Les Grands Textes fondateurs
Informer, s'informer, déformer ?
Initiation à la poésie du Moyen Âge à nos jours
Nouvelles francophones
Poèmes engagés
Pourquoi aller vers l'inconnu ? – 16 récits d'aventures
La Presse dans tous ses états – Lire les journaux du XVIIe au XXIe siècle
La Résistance en poésie – Des poèmes pour résister
Sept nouvelles d'anticipation
Sorcières, génies et autres monstres – 8 contes merveilleux

SÉRIE BANDE DESSINÉE (en coédition avec Casterman)

Beuriot et Richelle, *Amours fragiles – Le Dernier Printemps*
Bilal et Christin, *Les Phalanges de l'Ordre noir*
Comès, *Silence*
Ferrandez et Benacquista, *L'Outremangeur*
Franquin, *Idées noires*
Martin, *Alix – L'Enfant grec*
Pagnol et Ferrandez, *L'Eau des collines – Jean de Florette*
Pratt, *Corto Maltese – La Jeunesse de Corto*
Pratt, *Saint-Exupéry – Le Dernier Vol*
Stevenson, Pratt et Milani, *L'Île au trésor*
Tardi et Daeninckx, *Le Der des ders*
Tardi, *Adèle Blanc-sec – Adèle et la Bête*
Tardi, *Adèle Blanc-sec – Le Démon de la Tour Eiffel*
Tardi, *Adieu Brindavoine* suivi de *La Fleur au fusil*
Tito, *Soledad – La Mémoire blessée*
Tito, *Tendre banlieue – Appel au calme*
Utsumi et Taniguchi, *L'Orme du Caucase*
Wagner et Seiter, *Mysteries – Seule contre la loi*

Couverture
Conception graphique : Marie-Astrid Bailly-Maître
Illustration : Atak

Intérieur
Conception graphique : Marie-Astrid Bailly-Maître
Édition : Charlotte Cordonnier
Réalisation : Nord Compo, Villeneuve-d'Ascq

www.magnard.fr
www.classiquesetcontemporains.com

Achevé d'imprimer en Mars 2022 en Italie par Rotolito
Numéro éditeur : MAGSI20220012 - Dépot légal : Avril 2014

Certifié PEFC
Ce produit est issu de forêt gérées durablement et de sources contrôlées
www.pefc.it
PEFC
PEFC/18-31-103